赵孟頫《三门记》

名家教你写——视频精讲版

◎韦斯琴 编

中原出版传媒集团
中原传媒股份公司
河南美术出版社
·郑州·

图书在版编目（CIP）数据

赵孟頫《三门记》/ 韦斯琴编. — 郑州：河南美术出版社，2023.5

（名家教你写：视频精讲版）

ISBN 978-7-5401-6136-1

Ⅰ. ①赵… Ⅱ. ①韦… Ⅲ. ①楷书－碑帖－中国－元代 Ⅳ. ①J292.25

中国国家版本馆CIP数据核字(2023)第048489号

名家教你写　视频精讲版

赵孟頫《三门记》

韦斯琴　编

出 版 人　王广照
责任编辑　谷国伟　赵　帅
责任校对　管明锐
装帧设计　杨慧芳
出版发行　河南美术出版社
　　　　　地　　址　郑州市郑东新区祥盛街27号
　　　　　邮政编码　450016
　　　　　电　　话　0371-65788152
印　　刷　河南瑞之光印刷股份有限公司
经　　销　新华书店
开　　本　889mm×1194mm　1/16
印　　张　2.75
字　　数　34.38千字
版　　次　2023年5月第1版
印　　次　2023年5月第1次印刷
书　　号　ISBN 978-7-5401-6136-1
定　　价　25.80元

出版说明

赵孟頫（1254—1322），字子昂，号松雪道人、水精宫道人。湖州（今属浙江）人。官至翰林学士承旨，封魏国公，谥文敏。楷书四大家之一。其人博学多才，能诗善文，工书法，精绘艺，擅金石，通律吕，解鉴赏。其于书法和绘画成就最高，开创元代新画风，被称为『元人冠冕』。有《松雪斋集》十卷、外集一卷传世。另著有《谈录》一卷。

《三门记》是赵孟頫五十岁时所书的一件中楷作品。纸本，高35.8厘米，长283.8厘米，现藏于日本东京国立博物馆。此文的作者牟巘，字献甫，一字献之，学者称陵阳先生。有《陵阳集》二十四卷传世。南宋末年，牟巘曾官至大理寺少卿，至元代隐而不仕，居于湖州南园，与赵孟頫的莲花庄毗邻。牟巘比赵孟頫年长二十七岁，但两人兴趣相投，时常一起谈书论艺，遂成忘年之交。赵孟頫的许多作品，内容皆由牟巘撰文。

此篇《三门记》，陈述了重修三门的缘由，虽只是交代一些事由，却写得洋洋洒洒，文采斐然。而赵孟頫的《三门记》书法，在赵氏碑文中，当为典范。这一时期的赵孟頫书法，更多地取法唐代李邕，楷中见行，多用实笔，然意态灵动，一扫中唐以来以颜、柳书碑的大楷习气，但保留了唐楷的筋骨，看似平淡，其实绵里藏针，气韵生动。在运笔上，赵孟頫采用切锋入纸、一拓直下的书写方式，改变了唐中期颜、柳楷书逆锋入纸，法度森严之概貌，为楷书创作带来了一派清新流畅之风，形成了迥异于前人的书法风格。这正是后世将欧、颜、柳、赵并称为『楷书四大家』的缘由。

赵孟頫是一位追求极度唯美的书画家，所以我们在他的书法作品里，几乎看不到败笔。当然，这源于他纯熟的技法。对于一位勤于笔墨的大书法家，书写之于他更多的是心性的流淌。在赵孟頫的唯美架构里，我们读到的正是他内心的旷朗无尘。

后人大多觉得赵孟頫作为宋室后裔，却在元代出任高官，对他的个人气节颇多指责，并以『一派媚态，全无骨气』来贬其书画。其实，赵孟頫以江南文人的雅逸，滋养元代文风，并力图为民造福、为国分忧，于史于今，皆无可非议。尤其在书法艺术上，赵孟頫以一己之力，倡导遵唐入晋，开元代雅逸之风，更影响了明、清及当代艺术的审美取向。

由于赵孟頫一生勤于笔耕，为后世留下了大量的精品力作。又由于元代距今不过七百多年，所以我们可以看到许多赵孟頫的墨迹本，这对于后世研习书法是一笔巨大的财富。

那么，握笔临写吧！

天地闔闢運乎鴻樞

天地阖辟运乎鸿枢

而乾坤為之戶日月

而乾坤为之户日月

出入經乎黄道而卯

出入经乎黄道而卯

酉為之門是故建設

酉为之门是故建设

琳宮摹憲玄象外則

琳宫摹宪玄象外则

周垣之聯屬靈星之

周垣之联属灵星之

橫陳內則重闥之劃

横陈内则重闼之划

開閶闔之彷彿非崇

开阊阖之仿佛非崇

嚴無以備制度非巨

严无以备制度非巨

丽无以竦视瞻惟是

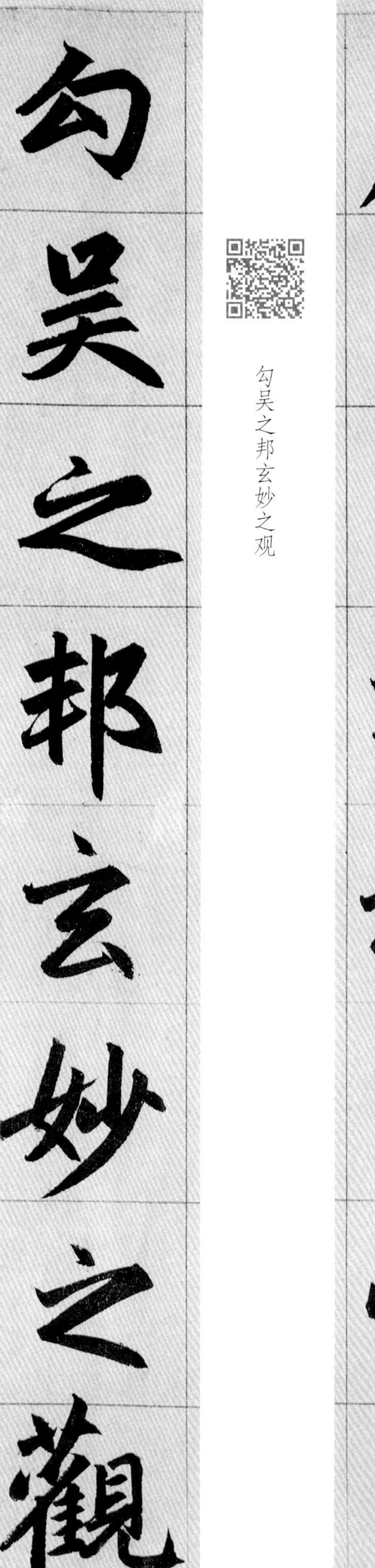

勾吴之邦玄妙之观

赐额改矣广殿新矣

而三门甚陋万目所

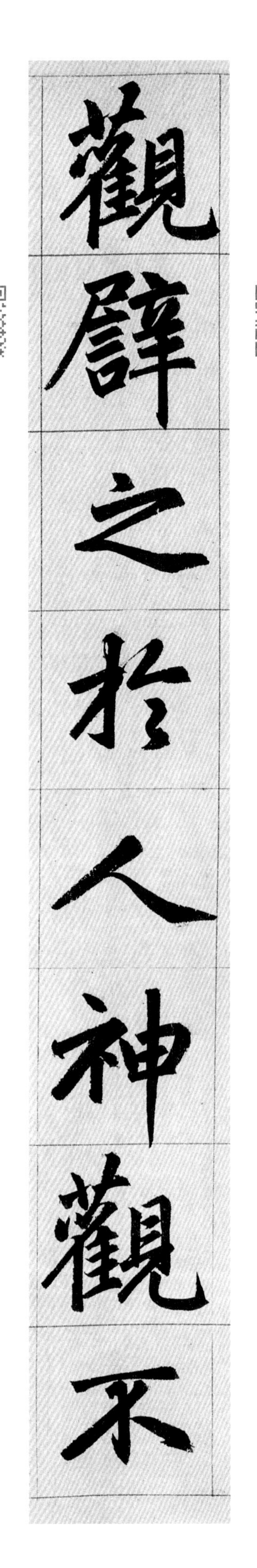

观譬之于人神观不

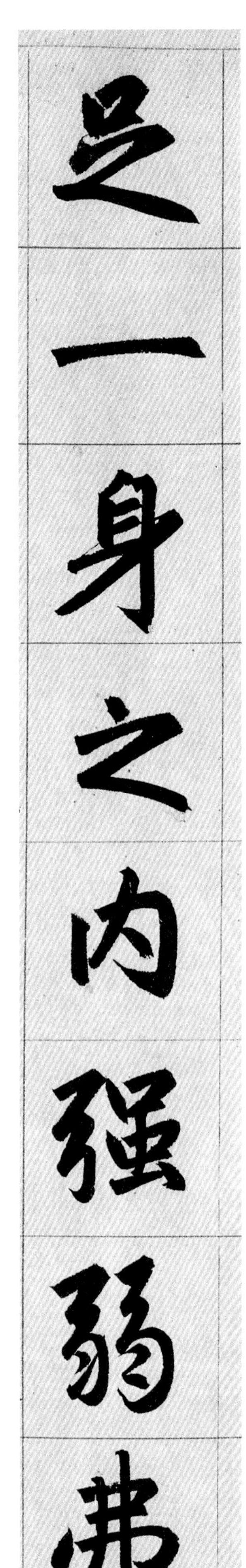

足一身之内强弱弗

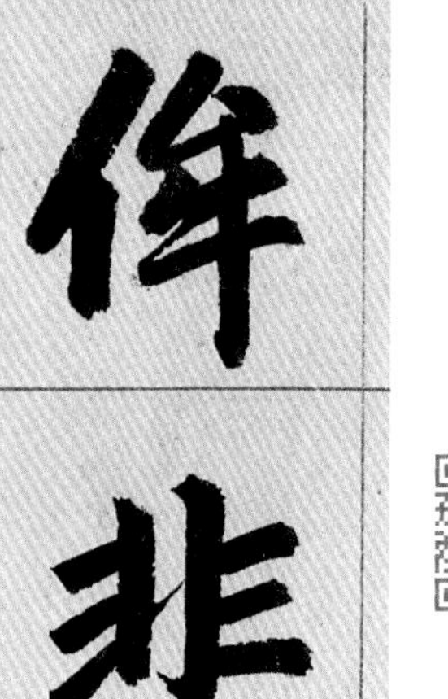

侔非欠欤观之徒严

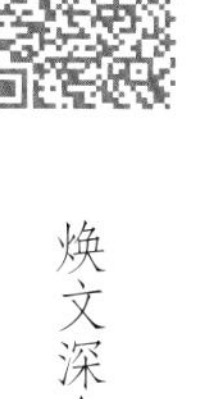

焕文深念前功是图

是究时则有夫人胡

氏妙能捐其簪珥给

其资用爱壬辰之纪

岁亟先甲以庀徒曾

几何时悉更其旧翚

飞丹栱檐牙高矗于

层霄兽啮铜镮铺首

輝煌於朝日大庭中

辉煌于朝日大庭中

[illegible]峻殿周羅可以樹

[illegible]峻殿周罗可以树

羽節可以容鸞馭可

羽节可以容鸾驭可

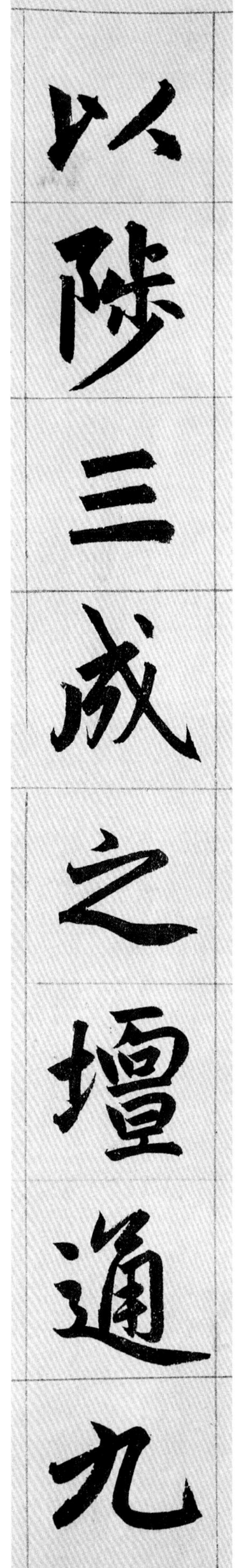

以陟三成之坛通九

关之奏可以鸣千石

之虡受百靈之朝氣

之虡受百灵之朝气

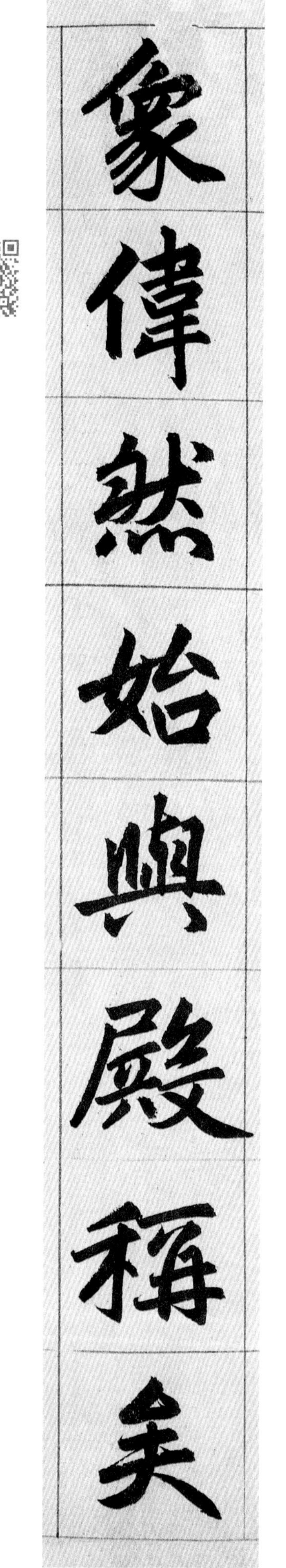

象伟然始与殿称矣

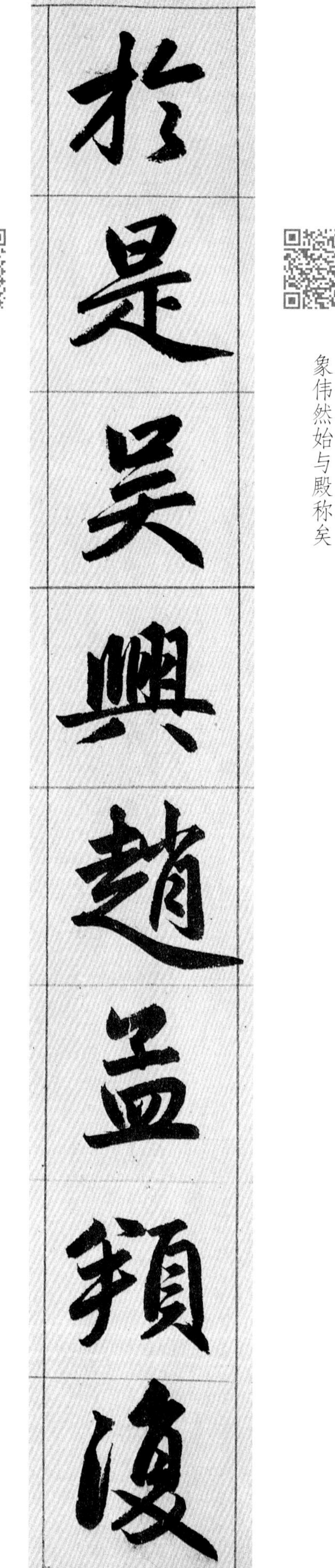

于是吴兴赵孟頫复

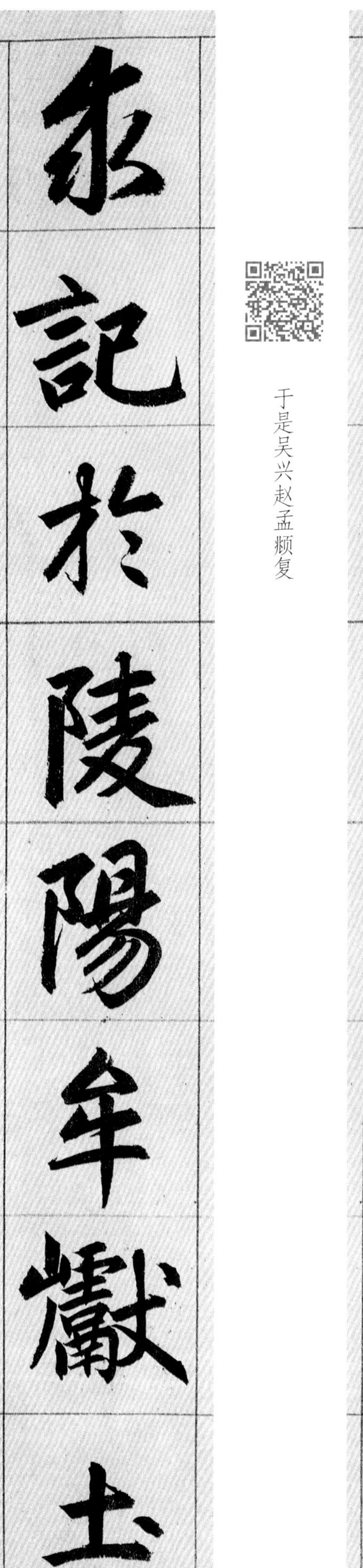

求记于陵阳牟巘土

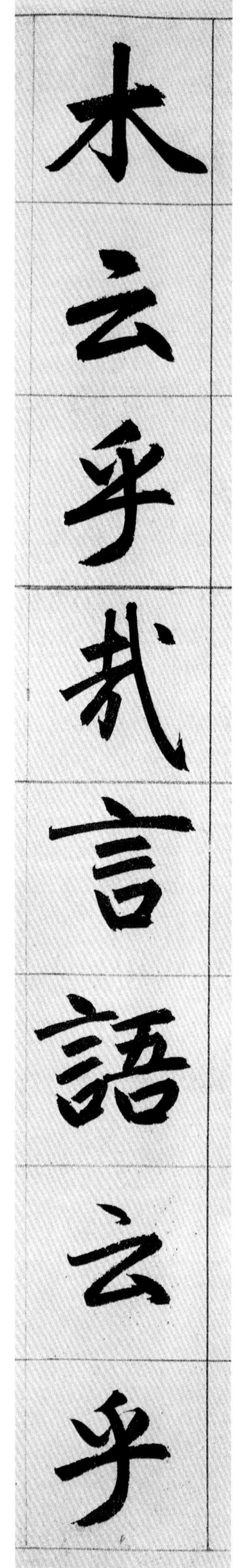

木云乎哉言语云乎

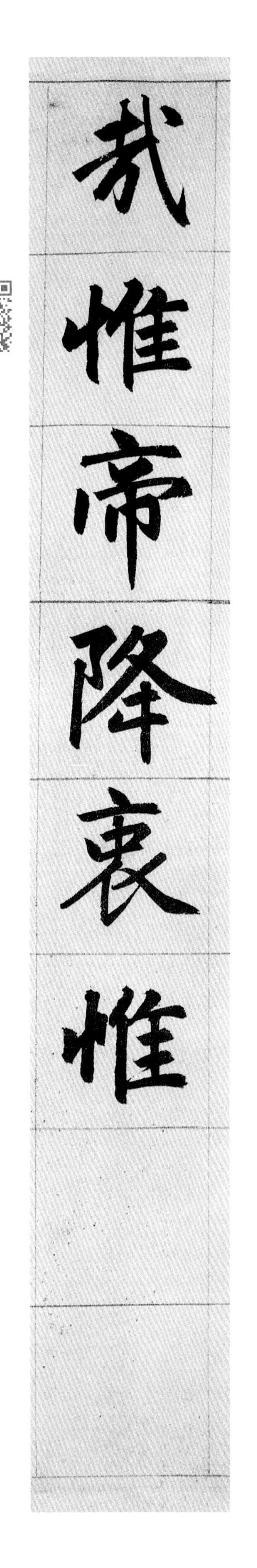

哉惟帝降衷惟

皇建极因人心固有

与天下为公初无侧

颇无充塞然或者舍

近而求诸远既昧厥

元欲入而闭之门复

迷所向孰与抽关启

钥何异擿埴索涂是

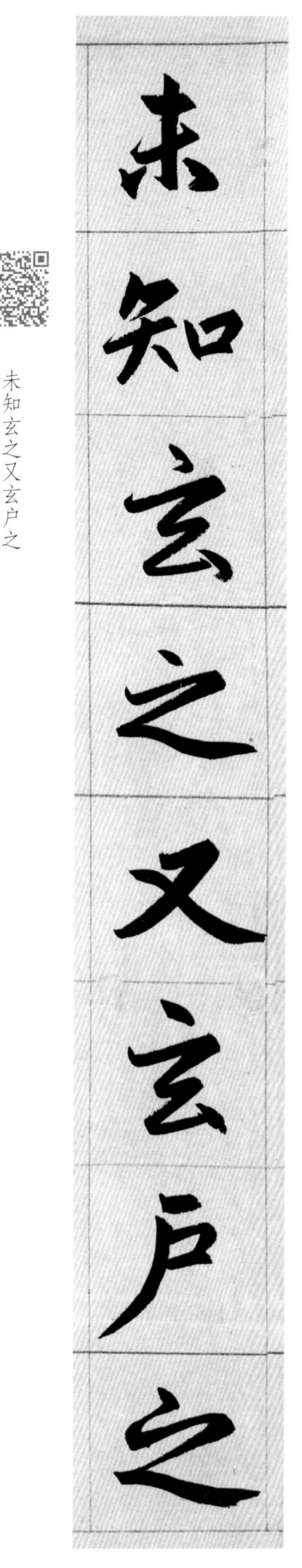

未知玄之又玄户之

不户也夫始乎冲漠

者造化之枢纽极乎

高明者中庸之阃奥

盖所谓会归之极所

谓众妙之门庸作铭

诗具刊乐石其词曰

天之牖民道若大路

未有出入不由於戶

未有出入不由于户

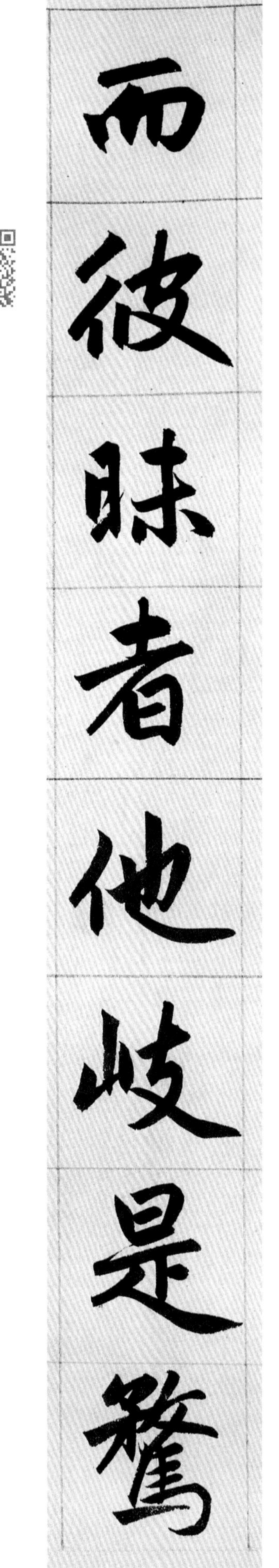

而彼昧者他岐是骛

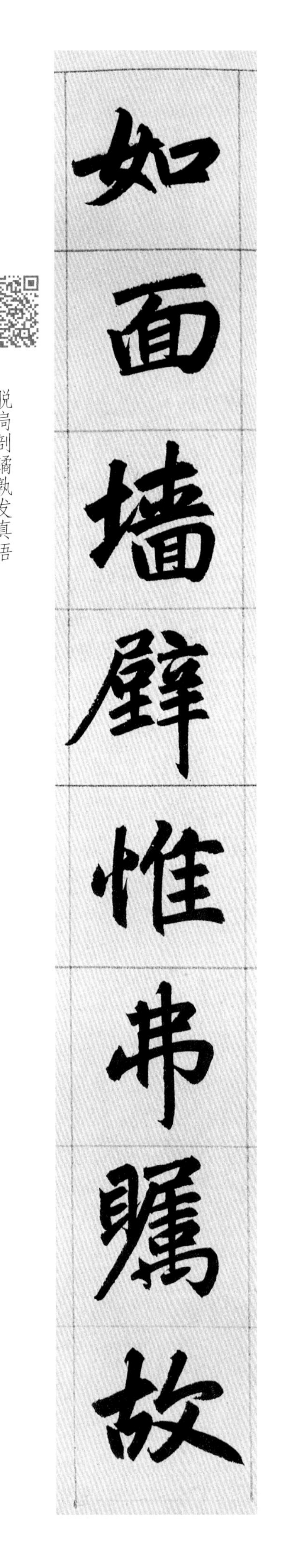

如面墙壁惟弗瞩故

脱扃剖镝孰发真悟

乃崇珍馆乃延飙驭

闬闳洞启端倪呈露

四达民迷有赫临顾

咨爾羽禑壹爾志慮

咨尔羽禑壹尔志虑

陰闔陽闢恪守常度

阴阖阳辟恪守常度

集賢直學士朝列

集贤直学士朝列

大夫行江浙等处

儒學提舉吳興趙

儒学提举吴兴赵

孟頫書并篆額

孟頫书并篆额

玄妙

觀重

脩三門記

天地闔闢運乎鴻樞而乾坤爲之戶日月出入經乎黃道而卯酉爲之門是故建設琳宮摹寫玄象外則

周垣之聯屬靈星之
横陳内則重闉之劃
開閶闔之彷彿非崇
巖無以備制度非巨
麗無以竦視瞻惟是

句吴之邦之玄妙之觀
賜額改矣廣殿新美
而三門甚陋萬目所
觀闢之於人神觀不
足一身之内强弱弗

侔非久歟觀之徒嚴煥文深念前功是畜是究時則有夫人胡氏妙能捐其簪珥給其資用爰壬辰之紀

歲亟先甲以庀徒曾
幾何時卷更其舊翬
飛丹栱簷牙高矗於
層霄獸嚙銅鐶鋪首
煇煌於朝日大庭中

嶻峻殿周羅可以封
羽節可以容鸞馭可
以陟三成之壇通九
關之奏可以鳴千石
之虡受百靈之朝氣

象偉然始興殿稱矣
於是吴興趙孟頫復
求記於陵陽牟巘士
未云乎哉言語云乎
哉惟帝降衷惟

皇建極回人心固有與天下為公初無側頗無充塞然或者舍近而求諸遠既昧厥元欲入而闚之門復

迷所向孰與抽關啓鑰何異擿埴索塗是未知玄之又玄戶之不戶也夫始乎沖漠者造化之樞紐極乎

高明者中庸之閫奧
蓋所謂會歸之極所
謂衆妙之門庸作銘
詩具刋樂石其詞曰
天之牖民道若大路

閈閎洞啓端倪呈露

四達民迷有恭臨顧

洛爾羽衛壹爾志慮

陰闔陽闢恪守常度

集賢直學士朝列

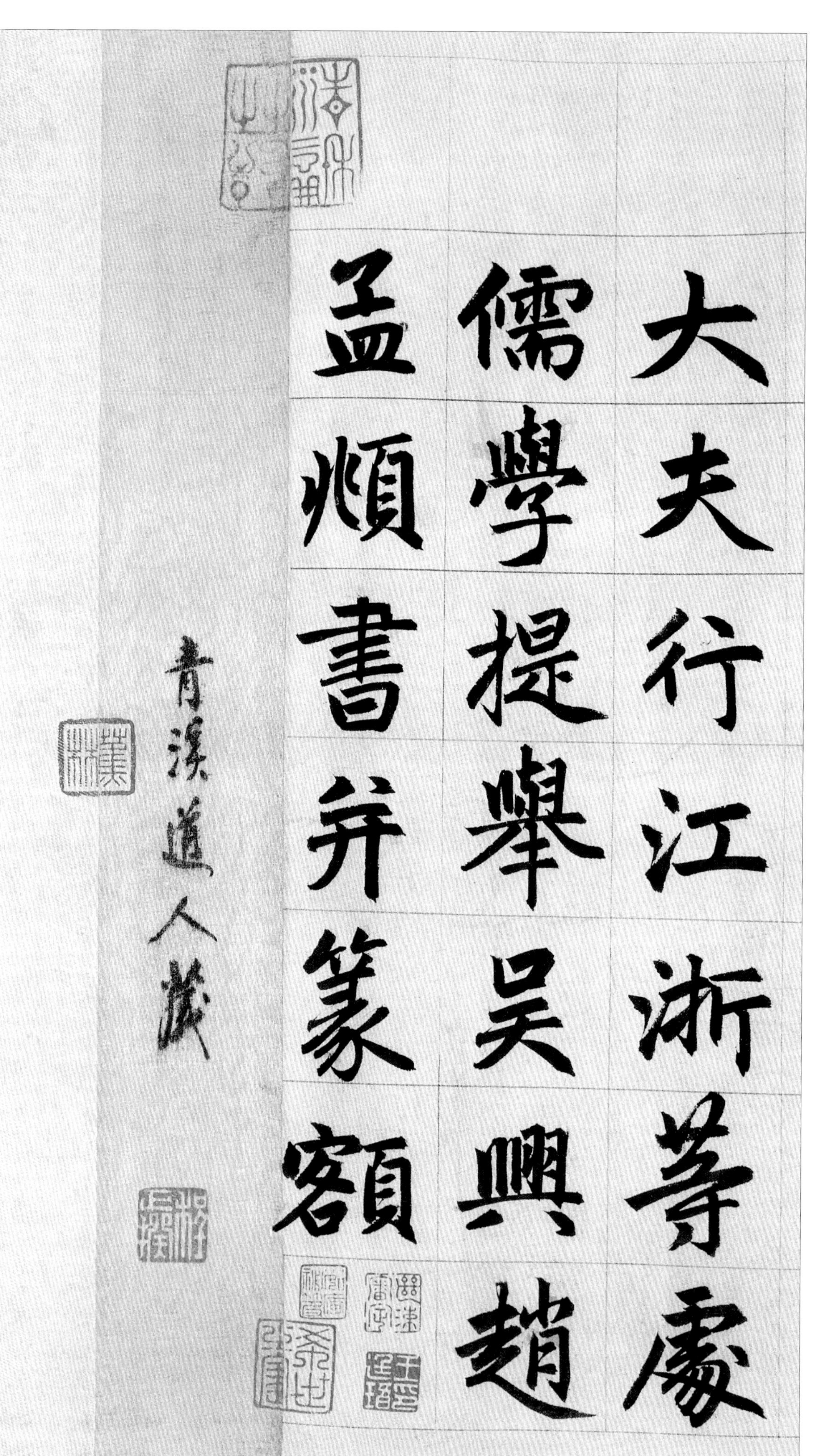
大夫行江浙等處儒學提舉吳興趙孟頫書并篆額
青溪道人識

建

闔

摹

樞

靈

乾

陽

虞

初

氣

興

慮

極

學

妙

舉

飈